GILBERT DELAHAY
MARCEL MARLIER

martine

au cirque

casterman

MARLIER

C'est la nuit. Dehors, les étoiles brillent, les fleurs se reposent, les arbres dorment. Dans la chambre de Martine, les jouets sont rangés. La poupée s'ennuie. L'ours en peluche et le lapin bâillent. Dans son lit, Martine fait un songe extraordinaire.
Elle rêve qu'elle travaille dans un cirque avec des clowns, des chevaux, des éléphants et des lions.

Dans le cirque de Martine, on a invité les élèves de toutes les écoles.

Il y en a jusque tout en haut, près des musiciens.

Lorsque tout le monde est assis, on allume les lumières :

la blanche, la rouge, la bleue, et Martine s'avance au milieu

de la piste. Elle n'a pas peur du tout.

Elle salue à droite, puis à gauche et dit :

– Mes chers amis, la séance va commencer.

Tout d'abord, voici les clowns Pif et Paf.

– Bonjour, Martine. Comment s'appelle ta poupée ?

– Elle s'appelle Françoise. Elle marche toute seule. Elle rit et elle pleure.

– Eh bien ! dit Pif, je vais lui raconter l'histoire de l'éléphant qui a perdu ses oreilles en se baignant dans la rivière.

Lorsque Pif raconte l'histoire de l'éléphant qui a perdu ses oreilles, les musiciens du cirque n'arrivent plus à souffler dans leurs trompettes. Les singes dansent de plaisir dans la ménagerie. L'ours rit tout seul et balance la tête sans rien dire.
A-t-on jamais vu clown aussi drôle ?
Même derrière le rideau des coulisses, le dompteur, le nain et le cow-boy écoutent l'histoire de Pif. Elle est tellement amusante !

Pif a terminé son histoire. Vite, Martine va changer de costume dans les coulisses. Là, il y a des robes, des chapeaux, des rubans et Martine s'habille comme il lui plaît.

Dans les coulisses, Martine retrouve son chien Patapouf.

Patapouf aime bien le sucre, mais il préfère marcher sur deux pattes et rouler à bicyclette.

La bicyclette de Martine est toute neuve. Ses rayons brillent comme un soleil. Martine en est très fière. Son papa, qui est équilibriste, la lui a achetée pour son anniversaire.
Quand Martine roule autour de la piste avec son chien Patapouf, les enfants applaudissent si fort que Patapouf n'ose même plus tourner la tête.

Après la promenade à vélo, la partie de patins à roulettes. Patapouf rêve de rouler sur le plancher de la piste avec les patins de Martine. Mais il paraît qu'on n'a jamais vu cela, même au cirque.

– Ce n'est rien, se dit-il. Cette nuit, quand Martine dormira, je vais essayer. Et, foi de Patapouf, je parie que je réussirai.

Martine sait aussi faire danser les chevaux du cirque:
le blanc et le noir. Le blanc s'appelle Pâquerette, le noir, Balthazar.
Les chevaux de Martine marchent au son du tambour comme
les soldats. Ils saluent de la tête et Martine les appelle par leur nom,
tant ils sont polis et bien éduqués.

À l’entracte, pendant qu’on prépare la piste, Martine vend des friandises. Elle porte une casquette et un uniforme avec des galons.

Un petit garçon lui demande :

– Martine, donne-moi du chocolat aux noisettes, du nougat et un sucre d’orge.

– Voilà un petit garçon bien gourmand !... pense Martine en lui donnant un bâton de nougat.

Quand tous les enfants ont goûté les bonbons de Martine et qu'ils ont été à la ménagerie admirer les tigres, les lions et les ours, on tend un fil au-dessus de la piste.
Soudain, un roulement de tambour. Puis un grand silence.
Martine se met à danser sur le fil. Avec ses chaussons blancs et son ombrelle, elle est aussi légère qu'un papillon. On dirait qu'elle va s'envoler. C'est une vraie danseuse !

Après quoi, Martine appelle Trompette, l'éléphant.

– Voilà, voilà, qu'y a-t-il ? répond l'animal sans se presser.

– Comme tu es en retard ! Nous avons juste le temps de faire une promenade ensemble.

– C'est que, voyez-vous, mademoiselle, j'ai emmené mon bébé avec moi. Et, vous savez, il ne tient pas bien sur ses jambes.

Le cirque de Martine a fait deux fois le tour du monde. On l'appelle le « Cirque Merveilleux ». Les grandes personnes s'imaginent que c'est un cirque tout à fait comme les autres. Cependant, on raconte qu'une fée le suit dans tous ses voyages.
Et devinez qui a donné à Martine la baguette magique avec le chapeau, le lapin, les pigeons et les foulards ?
C'est la fée du « Cirque Merveilleux ». Mais il ne faut pas le répéter à n'importe qui.

Voici que les clowns Pif et Paf ont changé de costume.

Personne ne les reconnaît. Pif porte un habit couvert de diamants.

Paf a mis son pantalon rayé, sa nouvelle cravate et ses chaussures de trois kilomètres.

– Nous allons jouer de la musique, dit Pif.

– Pour Martine et tous nos amis, ajoute Paf.

– Bravo ! Bravo ! crient les garçons sur les bancs.

Martine aime beaucoup les lions. Sans hésiter, elle entre dans
leur cage. Comme ils sont paresseux ! D'un coup de fouet
elle les éveille.

– Debout, Cactus, au travail... Allons Caprice !
Mettez-vous à votre place. Ne voyez-vous pas qu'on vous regarde ?
Mon petit doigt me dit que vous vous êtes encore disputés aujourd'hui.
Comme punition, vous allez vous asseoir sur ce tabouret.

Maintenant la séance est terminée.

– Tout le monde s'est bien amusé ? demande Martine.

– Oui, oui, fait-on de tous côtés.

– Nous allons démonter le cirque. Nous partons dans une autre ville.

– Puisque tu nous quittes, voici un bouquet de fleurs, dit un garçon.

Et un ruban pour Patapouf.

Après la séance, Martine rejoint son ami Martin.

Quand Martine demande à Martin :

– Quoi de neuf, ce soir ?

– Hélas ! répond l'ours en dépliant son journal, je ne sais pas lire.

– Mon pauvre Martin, il faudra que je t'apprenne l'alphabet !

Martine, Martin et Patapouf vont continuer leur voyage autour du monde avec le cirque. On se bouscule pour les voir partir. Tous les amis de Martine applaudissent. Cela fait tant de bruit que Martine se réveille. Elle se retrouve dans son lit, entourée de sa poupée, de son ours et de son lapin. C'est le matin. Adieu, le Cirque Merveilleux ! Vite, il faut se débarbouiller pour aller à l'école…

http://www.casterman.com
D'après les personnages créés par Gilbert Delahaye et Marcel Marlier / Léaucour Création.
Achevé d'imprimer en avril 2011, en Italie par Lego. Dépôt légal : 4e trimestre 1956; D. 1985/0053/34.
Déposé au ministère de la Justice, Paris (loi n° 49.956 du 16 juillet 1949 sur les publications destinées à la jeunesse).
ISBN 978-2-203-10104-3